Bibliothek der Photographie
Band 9

Bibliothek der Photographie

Herausgegeben von Romeo E. Martinez · Band 9

Olga Carlisle

Grosse Photographen unserer Zeit:

Inge Morath

Bucher

Redaktion Max A. Wyss

Übersetzung aus dem Englischen von Guido Meister

Graphische Gestaltung H. F. Kammermann

Printed in Switzerland by C. J. Bucher AG, Luzern
ISBN 3 7658 0205 0

Zu einer Zeit, in der die schaubare Welt von den Bildhauern in Einzelteile zerlegt wird, die Maler sich nur noch mit Flächen beschäftigen und die Ausbeutung einer einzigen erfolgreichen «Masche» ein ganzes Leben lang für eine künstlerische Laufbahn genügen kann, ist es höchst anregend, diese Anthologie von Inge Moraths Photographien durchzublättern. Inge Morath ist eine Klassizistin. Wir freuen uns über die klassisch zu nennenden Wertmaßstäbe, wie etwa die Vielfalt, die Ausgewogenheit, den Sinn für Maß und Form, die vollkommen beherrschte und doch frische Sensibilität. Bei Henri Cartier-Bresson, mit dem Inge Morath während ihrer Pariser Ausbildungszeit gelegentlich zusammenarbeitete, hat sie gelernt, was höchst wahrscheinlich überhaupt nicht gelehrt werden kann, nämlich das fundamentale Geheimnis der modernen Photographie: die Wachsamkeit und die unendliche Geduld, die einem Photographen erlauben, den «entscheidenden Augenblick» einer Begebenheit einzufangen. Denn in der natürlichen Welt befindet sich ja alles ständig im Fluß. So statisch oder «gestellt» eine Photographie auch sein mag — sie wird immer von jenem geheimnisvollen Augenblick abhängen, den zu bestimmen das Vorrecht des Photographen ist, seine eigenste Wahl, seine Verpflichtung inmitten der vollkommensten Freiheit. Inge Morath sagt: «Für mich ist das Abdrücken eine Geste plötzlichen Erkennens, vergleichbar einem Kind, das auf den Zehenspitzen wippt, plötzlich mit einem kleinen Freudenschrei die Hand besitzergreifend nach einem erträumten Gegenstand ausstreckt.»

Inge Morath drückt sich am liebsten in einem einzigen, sorgfältig aufgebauten Bild aus, das in uns eine Fülle mehr oder weniger unbewußter Assoziationen wachruft. Nehmen wir zum Beispiel die Sphinx im Belvedere Park, die mir ihr Sinnbild zu sein scheint. Wer ist dieses Wesen, das unter dem forschenden Blick des Photographen langsam zum Leben zu erwachen scheint? Oder die weißen Pferde — in welche dunstige Ferne stürzen sie? Obwohl Inge Moraths Photographien stets ein bestimmtes Thema behandeln, haftet ihnen oft etwas Geheimnisvolles, etwas Rätselhaftes an. Zuweilen gemahnt ihre Komposition – wenn auch nur flüchtig – an gewisse Maler: Le Nain, Canaletto, Utrillo. Man hat niemals das Gefühl einer unbarmherzigen Vergewaltigung des Themas durch die Photographin. Inge Morath ist eine «Puristin». Ihre Negative werden nicht in Ausschnitten, sondern in ihrer Ganzheit veröffentlicht. Sie baut das Bild im Sucher auf und verzichtet auf die Manipulationsmöglichkeiten des Labors.

Inge Morath – die in Österreich zur Welt kam, ein wenig überall in Europa aufwuchs und heute in den Vereinigten Staaten lebt – versteht es trefflich, aus ihrem eigenen, vielfältigen kulturellen Erbe zu schöpfen, um ihre Wahrnehmungen zum Ausdruck zu bringen. Ihre Meisterschaft erlaubt ihr, alles zu überwinden, was in der Technik der Photographie kalt und mechanisch sein könnte. Sie ist in seelischem Kontakt mit ihrer eigenen Feinfühligkeit, in Frieden mit sich selbst – und in ihren Händen wird der Photoapparat, der erbarmungslos sein und das Groteske des Lebens zutage fördern kann, statt dessen zu einem «Werkzeug der Liebe» gegenüber der natürlichen Welt. Wie viele zeitgenössische Künstler hat auch Inge Morath von der chinesischen Zen-Erleuchtung gelernt, wie es möglich ist, das zu erkennen und zu erfassen, was sie «das Statische im Fließenden» nennt. Sie kennt das Geheimnis, sich vom Gegenstand finden zu lassen, anstatt ihm Gewalt anzutun und ihn zu verscheuchen. Sie ist eine malende Photographin – nicht etwa, weil ihre Photographie die Malerei nachahmt, sondern weil sie mit dem Mittel der Photographie eine Bildwelt geschaffen hat, der der ganze Spielraum und die Wärme einer selbstgewissen und frohen Malerei eigen ist.

Inge Morath lebt mit ihrem Gatten Arthur Miller und ihrer zwölfjährigen Tochter in einem großen weißen Haus in Connecticut. In dieser Gegend der Vereinigten Staaten erinnert die Landschaft mit ihren niedrigen Hügelzügen und ihrem weiten Horizont an Europa und insbesondere an gewisse ländliche Gegenden Englands. Das Klima ist streng: ein kurzer, üppiger Frühling, ein heißer Sommer, ein wunderbarer, von Farben überbordender Herbst und ein langer, schneereicher Winter. Das Leben verläuft dort nicht unähnlich jenem der vornehmen Grundbesitzer im vorrevolutionären Rußland — natürlich abzüglich der Bauern und der Dienstboten. Man hat viel Zeit, um konzentriert zu arbeiten und zu lesen. Es geht gemütlich zu — ganz im Gegensatz zu der aufreibenden, glitzernden Welt des New Yorker Theaters. Und doch wird New York alle zwei oder drei Jahre eine Zeitlang Teil des Lebens der Millers, wenn nämlich wieder ein neues Stück von Arthur Miller in New York zur Aufführung gelangt.

Ich sehe Inge Morath meistens auf dem Land; wir sind dort Nachbarn; wir unternehmen gemeinsam Spaziergänge durch Wälder und Felder und diskutieren über Photographie und Malerei. Der Umstand, daß ich selber male, in Paris zur Welt gekommen und dort aufgewachsen bin, schafft eine Bindung zwischen uns; denn für einen Menschen aus meinem Milieu ist die Stellung der Photographie als völlig selbständige Kunst — die ebenso umfassend und kühn sein kann wie die Kunst des Schreibens oder der Bildhauerei — schon vor vielen Jahren in Europa durch Künstler wie Man Ray und Brassai unanfechtbar geworden. Ich bin mit Inge Morath auf mehrere Photoexpeditionen gezogen; so führte uns die Vorbereitung eines von uns gemeinsam betreuten Buches über den russischen Dichter Boris Pasternak bis in das sowjetische Georgien, und ich habe dabei häufig ihre Arbeitsweise bewundert. Ihre große, schlanke, beinahe knabenhaft wirkende Gestalt erscheint in ihren Bewegungen außerordentlich weiblich und schwerelos. Wenn sie Innenaufnahmen macht, kann man sehen, wie sie sich bückt, hinkniet, sich zur Decke streckt, auf Stühle und Tische klettert oder sich auf den Boden legt, um eine bessere Ansicht des gewünschten Gegenstandes zu gewinnen.

Am unvergeßlichsten geblieben ist mir der Anblick von Inge Morath während der Außenaufnahmen hoch oben auf der Festung der Heiligen Peter und Paul am Ufer der Newa, mitten im alten St. Petersburg. Wie in anderen Ländern sucht man auch in der Sowjetunion die Touristen davon abzuhalten, auf den Dächern historischer Gebäude herumzuspazieren. Aber von den Dächern der Festung aus hat man einen unvergleichlichen Blick auf die Newa und die Stadt Peters des Großen. Während eines Besuchs von Leningrad kletterten wir also, vom Dichter Josip Brodski geführt, zu schwindelerregenden Höhen empor. Die ganze Stadt lag uns zu Füßen. Ohne den geringsten Gedanken an mögliche Gefahren oder Schwierigkeiten zu verschwenden, begann Inge Morath zu laufen. Vom höchsten Vorsprung der schmalen Festungsmauern aus machte sie ihre Aufnahmen: sie schien selber ein luftgeborenes Wesen zu sein. Damals wurde mir klar, daß sie mit Leib und Seele Photographin war, bereit, jegliches Risiko einzugehen, um ein vollkommenes Bild zustande zu bringen. Sie war ein freier Geist, der die blendende Rundsicht mit scheinbarer Unbeteiligtheit überschaute und sich dabei doch vollkommen in der Hand hatte: das bezeugen die dort entstandenen Aufnahmen.

Wenn Inge Morath Menschen photographiert, tut sie dies mit uneingeschränktem Respekt für die Person. Sie schüchtert nicht ein, sondern bezaubert, wenn nötig auf eine Weise, die jener eines Schlangenbeschwörers gar nicht unähnlich ist. Bei anderen Gelegenheiten kann sie ein ausgeklügeltes Ballett aufführen, das so vielfältig und rituell wirkt wie die Schritte bei einer Corrida, damit die Menschen aus sich herausgehen. Ich habe gesehen, wie sie bei Porträtaufnahmen nach Belieben eine magische Strömung zwischen sich und dem Modell zu schaffen vermochte und die auf den Film zu bannende Person für einen kurzen, magischen Augenblick aus sich selbst herauslöste. Sie gibt sich ihrem Thema rückhaltlos hin: Es ist, als würde sie ein anderer Mensch, als würde sie selbst zur Landschaft, zum Stilleben – und dies befähigt sie, mit vollkommener Natürlichkeit jene denkwürdigen Bilder zu schaffen, die sie selbst als «traumhaft» bezeichnet.

Inge Moraths Atelier und Dunkelkammer befinden sich in einem riesigen umgebauten Holzschuppen in der Nähe ihres Hauses. Ein anstoßender, ebenfalls aus Holz erbauter Kornspeicher – die neuengländische Spielart der europäischen mittelalterlichen Türme – enthält zwei übereinanderliegende runde Räume, die Inge Moraths Interessen und ihr reiches Wissen widerspiegeln. Gedichtbände auf Französisch, Russisch und Chinesisch; deutsche Kunstbücher; volkstümliche rumänische Spielsachen; alles liegt überall in einer höchst ordentlichen Unordnung herum. Die fünf hohen, schmalen Fenster des Kornspeichers umrahmen die umliegenden Wiesen und Wälder und machen daraus fünf sich unablässig wandelnde orientalische Zeichnungen. Wir lassen uns im oberen Raum, der Inge Morath als Büro dient, auf einem farbenfrohen serbischen Wollteppich nieder. Der Raum ist voller Karteien für ihre Kontaktabzüge neben Stapeln von Photos und Nachschlagewerken. Ich möchte von Inge wissen, wie sie überhaupt zu photographieren angefangen hat. Wie kam sie zur Photographie? Wie wurde daraus das Ausdrucksmittel dieser vielsprachigen und hoch literarischen Frau?

In ihrem von einem weichen und doch klingenden österreichischen Akzent gefärbten Englisch antwortet sie:

«Meine Eltern stammten aus alten österreichischen Familien. Diese Familien hatten zumeist slawische Verbindungen: Verwandte allenthalben im habsburgischen Reich, an Orten, die jetzt zu Jugoslawien gehören; Bekanntschaften mit jenem Schlag exzentrischer russischer Aristokraten, die im 19. Jahrhundert unermüdlich auf der Suche nach sich selbst ganz Europa bereisten und ihre europäischen Gegenstücke mit ihrer Extravaganz und ihrer Vitalität in Erstaunen versetzten. Bis zum Ersten Weltkrieg begegneten sich Ost- und Westeuropa unablässig in Wien.

Meine Eltern waren Wissenschaftler; sie lehrten mich, wie man arbeitet, und sie weckten meinen Sinn für Organisation und Form. Das Leben zu Hause war festlich, aber dennoch diszipliniert und verhältnismäßig frugal. Ich habe einen energischen Bruder, stärker als ich und entschiedener – ein Positivist. Die Tradition gab mir ein Gefühl der Sicherheit – aber auch vieles, von dem ich mich später zu befreien hatte, stufenweise, wie eine aufsteigende Rakete.

In den österreichischen Familien der wohlhabenden Kaufmannsschicht wurde ein jüngerer Sohn oft als Kaufmann oder Händler nach China geschickt. Mein Onkel Walter Morath, ein spätgeborener Marco Polo, war mit außergewöhnlichen chinesischen Geschichten und Kunstgegenständen nach Wien zurückgekehrt. Sie weckten in mir den Traum vom Orient, einen Traum, der mich bis heute nicht verlassen hat. Ich interessiere mich für orientalische Philosophie, für chinesische Dichtung und Malerei. Ich liebe die chinesischen Legenden und das geheimnisvolle Weben rings um ihre Themen und bin seit Jahren leidenschaftlich an der Entwicklung des neuen chinesischen Staates interessiert. Ich bin jetzt dabei, Chinesisch (den Pekinger Dialekt, die nationale Einheitssprache in der Volksrepublik China) zu lernen, um mich besser in die chinesische Wesensart einfühlen zu können, und warte auf eine Möglichkeit, dieses große Land zu bereisen. Was mich dabei vor allem interessiert, ist die Kontinuität – oder das Fehlen eben dieser Kontinuität – zwischen Vergangenheit und Gegenwart. Gerade dies habe ich auch während zahlreicher anderer Reisen aufzuspüren versucht; es kommt im Titel eines meiner Bücher zum Ausdruck: *Von Persien nach Iran*.

Ihrer Tätigkeit wegen – mein Vater war ein führender Chemiker in der Holzindustrie, und meine Mutter war seine Assistentin – kamen meine Eltern viel in Europa herum, so daß ich bald französische Schulen besuchte, bald deutsche. Unmittelbar vor Ausbruch des Zweiten Weltkrieges ließen wir uns in Berlin nieder. Vorher lebten wir ein paar

Jahre lang in Darmstadt, das in den zwanziger Jahren ein intellektueller Mittelpunkt war. Hermann Graf Keyserling, aus Livland gebürtiger Kulturphilosoph, Autor des berühmten *Reisetagebuchs eines Philosophen* (1919), war nach der Enteignung seiner Güter durch die Sowjets vom Großherzog von Hessen eingeladen worden, in Darmstadt die Erkenntnisse des Reisetagebuches in einer Institution auszuwerten. Das führte 1920 zur Gründung seiner ‹Schule der Weisheit›. Keyserling, der eine Synthese der Philosophien und Religionen des Ostens und des Westens und der verschiedenen soziologischen und wissenschaftlichen Schulen anstrebte, hatte seine Schule in der Absicht gegründet, neue Möglichkeiten des geistigen Wachstums und der seelischen Läuterung zu schaffen. Diese Ideen wie die Lehren G. I. Gurdjieffs, der sich um diese Zeit in Paris niedergelassen hatte und verkündete, daß alles Heil in unserer Zeit nur durch Arbeit an sich selbst erreicht werden könne, wurden in unserer Darmstädter Zeit, Anfang und Mitte der dreißiger Jahre, im Kreis meiner Eltern viel diskutiert. Ich war noch zu klein, um mich mit philosophischen Ideen zu befassen, war aber tief beeindruckt von diesen mysteriösen Diskussionen, vor allem von dem oft zitierten Motto des Reisetagebuchs: ‹Der kürzeste Weg zu sich selbst führt um die Welt herum.›

Darmstadt besaß in jenen Jahren immer noch die Atmosphäre eines leichtlebigen kultivierten deutschen Fürstentums. Der dort residierende Großherzog von Hessen pflegte in seinen Mußestunden immer noch zu sticken, und es gab einen sehr schattigen Park, die Mathildenhöhe, durch den wir lange Spaziergänge machten: als ich klein war, wurden Kinder immer auf endlose Spaziergänge mitgenommen. Der Darmstädter Park hatte für uns Kinder eine Märchenatmosphäre. Es gab darin verstreut geheimnisvolle Gebäude: eine russische Kapelle, einen Hochzeitsturm. Und dann war da der Siegfriedbrunnen, ganz aus weißem Marmor, mit der Statue des Helden, der eben sein Bad nimmt, während das verhängnisvolle Lindenblatt auf seinen Rücken fällt. Ganz in der Nähe besaßen Freunde eine Villa voller *Art Nouveau,* und als kleines Mädchen hatten es mir besonders die in diesem Stil ausgeführten kostbaren Eßbestecke angetan, die hier bei Tisch benutzt wurden.

Sooft wir in Paris oder in Wien waren, wurde ich in den Louvre oder ins Kunsthistorische Museum geführt. Ich erinnere mich an die Breughel in Wien mit ihren blauen Fernen ... Dann verliebte ich mich – ebenfalls in Wien – in die Bilder von Cranach. Es sind Porträts dänischer Prinzessinnen, und diese Prinzessinnen tragen fein gearbeitete Halsketten aus Korallen und Perlen. Zum ersten Mal in meinem Leben stand ich betroffen vor einer Schönheit, die nicht übliches Gutaussehen war. Ich liebte den langen Hals der Prinzessinnen, die Zartheit ihrer kleinen Ohren, die durchscheinende Haut, die Symmetrie der Kleidung – die Porträts waren knapp unter der Hüfte abgeschnitten. Die Kleider wirkten wie geometrische Konstruktionen in Rot, Gold und Schwarz und kontrastierten wunderbar mit der Wärme des zarten, von ihnen umschlossenen Fleisches. In Wien sah ich auch ein Rembrandt-Porträt der Saskia in einem mit Pelz besetzten Kleid. Auch sie war keine konventionelle Schönheit. Zu jener Zeit, als ich zehn oder zwölf war, ahnte ich zum ersten Mal, was ein Porträt sein konnte: mehr als Schönheit, etwas nie Faßbares und wunderbar Lebendiges.

Ich entsinne mich, daß meine Mutter mich während jener Darmstädter Jahre einmal an eine Klimt-Ausstellung nach Leipzig oder Dresden mitnahm. Ich erinnere mich – und die Erinnerung ist bis heute lebendig geblieben –, daß dort das Beste von Klimt gezeigt wurde, nicht seine eher manierierten Werke, sondern Porträts, Landschaften und Gärten, die wie Edelsteine schimmerten. Insbesondere war da ein Ölbild von Frauen in einer Landschaft oder einem Park, und ich war völlig gefesselt von der Art, wie die Blumen vorne auf dem Bild sich mit dem Gehölz im Hintergrund und mit den Kleidern der Frauen verflochten und verwoben. Ich sah zum ersten Mal mir bekannte Dinge –

Frauen, Blumen, Bäume — auf eine total andere Weise dargestellt: eine Form wurde in scheinbar endlosen Variationen aus einer anderen in steigendem und fallendem Rhythmus geboren. Seither haben mich Hintergründe fasziniert, ihre Beziehung zum Vordergrund, zum eigentlichen Gegenstand des Bildes, zu Front und Mitte.

Es gab in meiner Familie keine Reproduktionen moderner Kunst, keinen *Matisse* oder *Picasso* — sie interessierten meine Familie wohl nicht. Meine erste Begegnung mit moderner Malerei hatte ich in einer Ausstellung, die ‹Entartete Kunst› betitelt war. Sie fand in Berlin unter den Nazis statt. Ich ging damals aufs Gymnasium. Wir sollten uns die Ausstellung ansehen und dann einen Aufsatz darüber schreiben und dartun, wie ekelhaft sie sei; aber ich erinnere mich, daß ich die Bilder mit geheimem Vergnügen betrachtete. Mir gefielen die lebhaften Farben, die ungewöhnlichen, ausdrucksvollen Formen. Um uns zu erziehen, hingen einzelne Werke dieser Kunst sogar in den Gängen unserer Schule, und ich erinnere mich, wie frisch sie wirkten und irgendwie aufregend.

Neben der ‹Entarteten Kunst› wurde uns die ‹Gute Kunst› gezeigt. Darunter gab es zahlreiche Gemälde von drallen bäuerlichen Mädchen, die sich, halb entkleidet und in irgendwie suggestiven Posen, in auf dem Boden stehenden kleinen Schüsseln schrubbten. Ihr Fleisch war sehr, sehr rosig. Im übrigen war unter Hitler alles sehr grau-grau und braun.

Ich erinnere mich, daß meine Mutter die Farbe der Braunhemden nicht ausstehen konnte. Ihr Widerwille beim Anblick dieser häßlichen Farbe spiegelte ihre Gefühle gegenüber den Nazis. Aber die Umstände erlaubten uns nicht, diese Gefühle zum Ausdruck zu bringen . . .

Ich habe den Eindruck, daß die Bombardierungen schon bald nach Kriegsbeginn anfingen, schon im Jahre 1941. Sie wurden immer heftiger und gingen immer weiter und waren jedes Jahr schlimmer. Familienangehörige begannen zu verschwinden — zuerst Vettern, die kaum älter waren als ich, und die an der Front fielen. Alle Männer wurden ohne Ansehen des Alters mobilisiert, außer natürlich wenn sie hohe Parteifunktionäre waren. Mein Vater und mein Bruder, der damals erst sechzehn war, wurden in die deutsche Wehrmacht eingezogen. Meine Mutter mußte das wissenschaftliche Institut meines Vaters allein weiterführen.

Dann wurde unser Haus in Berlin zerstört. Die eine Seite war ganz aufgerissen. Ich erinnere mich, daß meine Mutter und ich aus dem Luftschutzkeller auftauchend in einem Meer von Schutt einen einzigen Gegenstand sahen, der heil geblieben war: eine rote venezianische Vase. Sie hatte daheim als unser zerbrechlichster Besitz gegolten, und niemand durfte sie berühren; aber da stand sie in den Ruinen — unversehrt, leuchtend, anmutig.

Gleich nach dem Krieg war Wien ein begeisterndes Pflaster für junge Leute. Auf einmal mußten sie nicht mehr im Taktschritt gehen. Über Nacht war alles möglich geworden, wir waren wie Gefangene, die man freigelassen hatte. Endlich durften wir alles sehen und lesen, was wir wollten. Wir hatten schon immer die Klassiker besessen, die bei uns hoch geachtet und tatsächlich gelesen wurden. Sie bildeten das traditionelle Geschenk für Kinder an Weihnachten und zum Geburtstag, in einer besonders für die Jugend bestimmten und in Leder gebundenen Reihe. Die Zensur war praktisch unter den Nazis nie ganz streng gewesen: Sie hatten einfach nie Zeit, ihr völlige Nachachtung zu verschaffen. Meine Eltern hatten die verbotenen Bücher wie Heine und Thomas Mann behalten, nur waren sie in der Bibliothek hinter Reihen anderer Bücher geschoben worden. Dennoch herrschte eine Atmosphäre restloser Unterdrückung. Und jetzt konnten wir alles lesen — Musil, Ortega y Gasset, Kafka, Freud . . . und konnten alles anschauen. Mehrere große Kunstausstellungen kamen gleich nach dem Krieg nach Wien. Das Wiener Theater war explosiv — mit Saroyan, Brecht, Hans Weigel . . .»

Inge Morath erklärt, daß ihre erste Berührung mit amerikanischen Dingen in jene Zeit in Wien fiel. Sie hatte kurz vor dem Zusammenbruch an der Berliner Universität ihr Staatsexamen abgelegt und arbeitete nun als Übersetzerin für USIA. Sie schrieb Artikel für eine kurzlebige literarisch-politische Zeitschrift, *Der Optimist,* und wurde dann österreichische Redakteurin der Zeitschrift *Heute,* die USIS in München herausgab. In dieser Eigenschaft arbeitete sie als Reporterin mit dem österreichischen Photographen Ernst Haas zusammen. Im Jahre 1951 lud Robert Capa von Paris aus dieses Team ein, der neugegründeten Vereinigung der Photographen *Magnum* beizutreten. Inge Morath ging nach Paris und arbeitete im Büro von Magnum, wo sie Kontaktabzüge überprüfte, Texte schrieb und Reportagen vorbereitete. Sie spricht von Robert Capa, dem Photographen und dem Menschen, mit tiefster Bewunderung. «Die Großzügigkeit war seine eigentliche Triebkraft . . .»

Während einer kurzen Ehe mit einem englischen Journalisten, Lionel Birch, wurde Inge Morath auf Capas Empfehlung von *Simon Gutmann* in die Lehre genommen. Gutmann, der lange im Ullstein-Verlag tätig gewesen war, galt als einer der Väter der modernen Photoreportage und war Mitgründer und Leiter der *Dephot* (Deutscher Photo Dienst). Capa selbst hatte in früheren Jahren für ihn gearbeitet. Inge Morath erzählt: «Er war kniffelig und alt und lehrte mich erbarmungslos . . ., sogar wie man ein Sixpencestück in den Gasofen warf, um sein Rasierwasser heißzumachen; aber auch, daß eine Photographie von innen her kommt, ein Mittel ist, sich selbst auszudrücken. Dies war für mich damals sehr wichtig, denn ich schämte mich doch nach dem Krieg, deutsch zu sprechen, und da ich so der Stimme beraubt war, bedeutete eine Aufnahme etwa soviel wie der Mut, den Mund aufzumachen.»

Den *entscheidenden Augenblick* in ihrem Leben hatte sie kurz zuvor erlebt, als sie mit einer alten Contax, die ihre Mutter ihr einmal geschenkt hatte, ein paar Bilder von Venedig in einem herbstlichen Regensturm machte. Das drohende graue Licht schien ihr das Schicksal der vom Versinken bedrohten Stadt auszudrücken. Sie rief Capa an und sagte, er solle doch einen Photographen schicken, aber Magnum hatte wichtigere Dinge zu tun, und Capa sagte, halb im Scherz, «Warum photographieren Sie's denn nicht selbst?» Das tat sie dann auch mit der alten, vorher nie von ihr benutzten Contax ihrer Mutter. Jahre später führte das zu einer wunderbaren Studie über Venedig, die mit einem Text von Mary McCarthy unter dem Titel *Venice Observed* veröffentlicht wurde.

Unterdessen arbeitete Inge Morath mit fiebriger Energie, aber noch ohne jede Sachkenntnis an ihren eigenen Photographien und verkaufte ihre Bilder unter einem Pseudonym. Sie versichert, daß sie in ihrem Berufsleben nie ernstlich diskriminiert wurde, weil sie eine Frau war. Sie erklärt: «Wenn ich je auf Schwierigkeiten stieß, weil ich eine Frau war, so fiel mir das damals gar nicht weiter auf. Ich war viel zu sehr damit beschäftigt, mein Handwerk zu erlernen, viel zu bewußt, daß ich erst eine Anfängerin war, um auf dergleichen zu achten. Das Schwimmen nahm mich so sehr in Anspruch, daß ich keine Zeit hatte, festzustellen, ob das Wasser trübe war. Heute bewundere ich unter den Photographinnen vor allem Julia Cameron, Berenice Abbott, Dorothea Lange . . .» Frau zu sein war für Inge Morath in ihrem beruflichen Leben nie ein zentrales Problem: «Was in diesem Beruf, wie in anderen Berufen, in denen man allein arbeitet, wichtig ist, sind die Freunde ganz zu Anfang. Meine *compagnons de route* waren meistens Männer, aber auch dauernde Freundschaften mit Frauen stammen aus dieser Zeit. Ich habe oft mit Frauen zusammen gearbeitet, Dominique Aubier, Mary McCarthy, Olga Carlisle, mit Mitarbeiterinnen und Redaktorinnen von Magazinen und bei Magnum. Die erste Zeit mit Magnum in Paris war wunderbar. Da war vor allem Robert Capa. Er hatte Magnum erfunden, 1947 in Paris mit David Seymour, Cartier-Bresson und George Rodger gegründet.

16

Wir waren alle seine Kinder (manchmal nannte er uns auch seine Rennpferde), die er mit abwechselnd strengem und zärtlichem Auge überwachte und mit unglaublicher Intuition für ihre spezielle Begabung dazu brachte, Reportagen über wichtige Ereignisse für die großen Magazine zu machen. Wir waren alle sehr verschieden, aber wir waren auch alle vom direkten Erleben des Zweiten Weltkrieges gezeichnet. Wir alle wollten eine bessere Welt und nahmen die Auswahl der von uns zu photographierenden Themen sehr ernst. Auch die Art, in der unsere Photos veröffentlicht wurden — auch was die Bildlegenden betraf — wurde streng überwacht. Unser Zusammenleben war aber eigentlich immer fröhlich, Capas phantasiereicher und nimmermüder Optimismus inspirierte alle. Diskussionen — zwischen den großen Reisen verbrachten wir (Capa, Seymour, Haas, Cartier-Bresson, George Rodger, Werner Bischof) viel Zeit miteinander — drehten sich mehr um das Leben, das Entdecken einer dem Reisen wieder offenstehenden Welt, als um technische Erörterungen. Das war die persönliche Angelegenheit des Photographen; es wurde als selbstverständlich angenommen, daß jeder sein Bestes leisten wollte. Entschuldigungen wegen schwieriger technischer oder physischer Umstände waren verpönt. Bilder sind gut oder schlecht, wie schwierig es war, sie aufzunehmen, interessiert niemanden.

Ich grüne Anfängerin lernte viel durch Zuhören, mehr noch vom Auswerten der Kontaktabzüge dieser großen Photographen und von der gegenseitigen Kritik und der von Capa immer erwarteten Qualität der geleisteten Arbeit. Was er verlangte, das tat er nie für sich, immer für die andern. Es war eine große Chance, mit ihm zu arbeiten; sein Geist und seine Leistung als Photograph üben noch heute einen wesentlichen Einfluß aus. Darauf aufbauend war der weitere Weg nicht so schwer, den man dann sowieso allein gehen mußte. Photographie ist letzten Endes ein persönliches Anliegen, das Suchen nach einer innerlichen Wahrheit, und die kann nur individuell sein.»

1953 forderte Robert Capa Inge Morath auf, Magnum als Photographin beizutreten, nachdem sie allein drei Monate lang an einer Reportage in Bild und Wort über die französischen Arbeiterpriester gearbeitet hatte. Kurz darauf schickte er sie nach Spanien, um ihre erste Reportage im Rahmen des großen Magnum-Projektes *Generation: Frauen* für *Holiday Magazine* zu machen. Er fügte beim Abschied, an den Spielautomaten im Magnum-Stammcafé gelehnt, hinzu: «Bleib ein bißchen länger dort. Spanien ist ein Land, in dem du gut arbeiten wirst.» Er hatte recht, sie kehrte während mehrerer Jahre immer wieder nach Spanien zurück. Ihr erstes Buch, *Fiesta in Pamplona,* mit einem Text von Dominique Aubier erschien 1954 im Verlag von Robert Delpire. Spanien trug so zur ersten wesentlichen Erweiterung ihres photographischen Horizontes bei.

Auf Robert Capas Anregung hin arbeitete sie an einer Reihe von Reportagen mit Henri Cartier-Bresson. Sie verliebte sich Paris dank ihrer Freunde ein, zu denen Maria Louise Bousquet gehörte, Teriade, Balenciaga, Jeanette Flanner, Robert Delpire, der erste Verleger ihrer Bücher, junge Maler, Schriftsteller und Journalisten aus aller Herren Ländern. Sie kaufte eine Wohnung im Quartier Latin. Als eine erfolgreiche und elegante junge Frau machte sie sich daran, die Welt mit ihrer Kamera zu erobern. Photoaufträge führten sie in die meisten Länder Europas, nach den USA, dem Mittleren Osten, Nord- und Südafrika und nach Mexiko.

Ihre Aufnahmen aus jener Zeit zeigen uns, daß ihre aus verschiedenen Kulturen geformte Herkunft, ihre Begabung für Sprachen, die Gründlichkeit, mit der sie eine Sache angeht und vor allen Dingen ihr Einfühlungsvermögen den Menschen und den Landschaften gegenüber ihr erlaubten, sich rasch verschiedene Kulturen anzueignen. «Ich gehöre zu der Schule von Photographen, die es lieben, sich gründlich auf eine Reise in ein neues Land vorzubereiten. Es ist mir daran gelegen, mich vorher eingehend zu unterrichten, viel nachzudenken und nachzuforschen. Ehe ich mich an ein Projekt mache, möchte ich seine Hintergründe kennen, möchte ich in die Zivilisation eintauchen, um die es sich handelt, und wenigstens die Grundlagen der Sprache erlernen. Dann kann ich mit größerer Freiheit zu dem gelangen, was Cartier-Bresson als die entscheidende Haltung des Photographen bezeichnet: er macht seine Aufnahme mit einem weit offenen Auge, das die Welt durch den Sucher beobachtet, während das andere geschlossen ist und in die eigene Seele blickt.»

1960 bereiste Inge Morath die USA mit Cartier-Bresson für einen photographischen Auftrag. Es war eine aufregende und abenteuerliche Expedition, die sie rückblickend als ihre «Einführungsriten für Amerika» bezeichnet, und die sie durch weite Gebiete der Vereinigten Staaten führte: den Süden, den Grand Canyon, New Mexiko . . . Inge Morath, die auf jener Reise auftragsgemäß hauptsächlich Farbphotos machte, spürte bald, daß sie eine ganz neue Art der Landschaftsbetrachtung finden mußte, wenn sie etwas vom Geist der USA einfangen wollte. Es gab gewaltige Weiten und, was noch wichtiger war, Landschaften, die von den Leuten nicht auf dieselbe Art bevölkert wurden wie in Europa oder im Mittleren Osten; außerhalb der Häuser schien sehr wenig vor sich zu gehen, es gab auch sehr wenig gesellschaftliches Leben auf der Straße. Bis auf den heutigen Tag bedauert Inge Morath die Tatsache, daß die Amerikaner, ausgenommen in den paar Metropolen, gewissermaßen unsichtbar sein wollen, wenn sie alltäglichen Beschäftigungen wie Arbeit und Einkäufen nachgehen. «Wer will schon angeschaut oder gar photographiert werden in Lockenwicklern und weißen Socken? Ich war an Frankreich oder Spanien gewöhnt; dort ist das Ausgehen, um irgend etwas zu besorgen, eine bedeutsame gesellschaftliche Handlung, die durch Auflegen von etwas Rouge und entsprechende Kleidung unterstrichen wird und wo Begegnungen und Unterhaltungen an Straßenecken und in Läden kleine Höhepunkte des Alltags bedeuten. Hier in den Staaten scheint jedermann Einzelgänger zu sein. Die großen Entfernungen und die Autos tragen irgendwie Schuld daran, aber es liegt wohl auch an Charakter und Temperament.»

Letzte Etappe der beiden Photographen war Nevada, wo John Huston nach dem Drehbuch von Arthur Miller und mit Marilyn Monroe in der Hauptrolle *The Misfits* filmte. Es war die Zeit der Superproduktionen, für die mit großen Farbphotos in Zeitschriften wie *Life, Look, Paris-Match* Reklame gemacht werden mußte. Beträchtliche Summen wurden ausgegeben, um die besten Photographen bei der Dreharbeit Aufnahmen machen zu lassen. Aus dieser Zeit stammen eine Anzahl farbiger Cover-Photos verschiedener Stars von Inge Morath. Sie erinnert sich an die Hitze in der Wüste, aber auch, daß Marilyn Monroe unverkennbar als Star erschien, wann immer sie auftrat. «Sie war fabelhaft anzusehen, etwas wie schimmernder Perlmutterglanz war an ihr. Natürlich war auch ihre Garderobe spektakulär, und fast ständig umgab sie ihr Gefolge: Drama-Mentor, Sekretärin, Masseur, Friseur, make-up man, Agenten und gelegentlich der berühmte Jean Louis, der ihre Kostüme kreierte. Da sie oft mit mehrstündiger Verspätung zur Dreharbeit erschien, pflegten Co-Stars und der ganze technische Stab in der Hitze dösend zu warten, sprangen jedoch, um weiteren Zeitverlust zu vermeiden, beim Auftauchen ihrer schwarzen Limousine wie gehetzt auf die Füße. Ihre Ankunft war immer wie ein elektrischer Schlag. Es war eine phantastische Welt, aber wir Photographen waren froh, Außenseiter zu sein. Das ist man ja immer als Photograph. Unter den Personen, die am Film arbeiteten, gab es alte Freunde wie John Huston, Montgomery Clift, Eli Wallach, mit denen ich zuvor schon an vielen Filmen gearbeitet hatte.»

Nur flüchtig hatte Inge Morath mit Arthur Miller damals Bekanntschaft geschlossen; aber als sie 1961 auf dem Weg zu einer Reportage in Argentinien New York passierte, trafen sie sich erneut. Er war inzwischen von Marilyn Monroe geschieden. 1962 heirateten sie. Wenig später ließen sie sich in Connecticut nieder.

Obwohl Inge Morath nun viel weniger herumreist als früher, arbeitet sie ebenso intensiv wie in ihren Pariser Tagen, nur in einer irgendwie mehr introspektiven Weise. Zwei Reisen nach Rußland – 1955 und 1967 – erlaubten ihr, das Leben der heutigen russischen Intelligenz in ihrer privatesten Atmosphäre einzufangen. Eine weitere Reise, die sie nach Japan und dann nach Kambodscha führte, kurz bevor dieses Land vom Kriege überrollt wurde, wird von Inge Morath als Teil einer allmählichen Zuwendung zum Orient betrachtet, als ein Schritt, der sie auf das China ihrer Träume vorbereitete.

Mehrere Jahre lang hat sie an einem Buch über Connecticut gearbeitet: Connecticut mit den Augen einer Ausländerin gesehen. Bisher hat sie dafür alle möglichen Aspekte des Lebens in diesem Neuenglandstaat aufgenommen, von ländlichen Jahrmärkten bis zu den Wohngepflogenheiten des Mittelstandes, von berühmten Wohnsitzen bis zu uralten, von Wind und Wetter mitgenommenen Scheunen. Vorgesehen für dieses Buch sind Stilleben, Porträts und liebenswürdig-humorvolle Genreszenen. Eine Anzahl bemerkenswerter Farbstudien zeigen ihre starke Begabung als Farbphotographin. Wie manche andere zeitgenössische Photographen ist sie jedoch der Ansicht, der Farbphotographie fehle die Vielseitigkeit des schwarzweißen Mediums.

«Manchmal photographiere ich leidenschaftlich gern in Farbe, viel weniger jedoch als in Schwarzweiß. Farbe muß erst einmal *da* sein. Dem Photographen geht die Freiheit des Malers ab, Volumen ändern oder störende Farben auslassen zu können. Das ‹Hübsche› in der Farbphotographie kann mir richtig Angst machen – manche gängigen Emulsionen zeigen eine Tendenz zu Pastelltönen –, und die Reproduktion kann Anlaß zu tiefer Betrübnis geben. Die Tatsache, daß eine Photographie zweidimensional, also flach ist, beraubt uns des Reizes der in verschiedenen Tiefen gesehenen Farben. (Pinselstriche können dicker oder dünner sein!). Eine Wüste mit ein paar Farbklecksen ist großartig – aber wie steht's mit überfüllten Straßen in Großstädten? Hier hilft die

Benutzung verschiedener Objektive, vom Tele bis zum Großformat. Man geht die Farbe auf andere Art an; der Prozeß der Transformation von Realität ins Bild verlangt neues Denken. Im Rahmen der von den Malern, vor allem den Impressionisten, entdeckten Gesetze der Farbe läßt sich durch das Neusehen von Formen und den Zwang zum Umdenken eine ganze Fülle von photographischen Möglichkeiten entdecken. Ich glaube, Ernst Haas war der erste Photograph, der das erreicht hat. Ich mag Farbaufnahmen von Natur, Landschaften, Gegenständen. Im allgemeinen mag ich farbige Porträts nicht – während Porträtaufnahmen in Schwarzweiß zu meiner Passion gehören.»

Ich frage Inge Morath nach ihrer «Technik», wie bringt sie die vollkommen harmonischen Hintergründe, die ein Teil ihrer photographischen Eigenart sind, zustande?

«Technik ist für mich eigentlich nur der Entschluß, aus welcher Entfernung, von welcher Höhe, ob mehr von rechts oder mehr von links (bei alledem kann es sich manchmal nur um Millimeter handeln), mit welchem Objektiv, welcher Brennweite und Belichtungszeit ich zu photographieren habe. Daß man sich des Resultats dieser Entscheidungen (nur halbbewußt in der ‹Umzingelung› des Sujets getroffen), im Augenblick des Abdrückens ziemlich sicher ist – das ist es wohl, was letzten Endes den ‹Professional› ausmacht. Im Herzen bleibt man am besten ein Amateur, um immer wieder erstaunt zu sein, neu sehen zu können, etablierte Verfahren als durchaus umstößlich anzusehen. Wittgenstein, der österreichische Philosoph, bemerkt: ‹Alles was wir sehen, könnte auch anders sein. Alles was wir beschreiben, könnte anders sein. Es gibt keine A-priori-Ordnung der Dinge.› (*Tractatus Logico Philosophicus,* Schriften. Frankfurt am Main. 1960.)

Für mich ist meine Passion für den Rhythmus in aller Bewegung wichtig. Restlose Aufmerksamkeit, restlose Aufnahmebereitschaft! Inhalt und Form lassen sich in der Photographie ebensowenig trennen wie in irgendeiner anderen Kunstgattung. Unter Form verstehe ich die plastische Ganzheit, die unsere tiefsten Gefühle zum Ausdruck bringt. Was den Inhalt angeht: ich habe seit zwanzig Jahren photographiert und weiß jetzt, worauf es mir ankommt: eine innere Verbindung auszudrücken, die ich mit gewissen Ereignissen, Lebensformen, Entwicklungen fühle – und dann auf das Traumhafte, die Seele in Landschaften, Räumen und Gesichtern, das ‹ewig Innerliche› der Meditation, ein aus dem Strom der Zeit erhaschter Augenblick.

Im allgemeinen ziehe ich die unkomplizierten Ausrüstungen vor. Ich habe immer mit 35-mm-Kameras gearbeitet. Zuerst mit meiner Occasions-Contax, dann mit Leicas. Mein Großvater besaß eine Standkamera mit dazugehörigem schwarzem Tuch: Als Kind mußte ich oft für ihn posieren. Das war für mich immer eine harte Geduldsprobe, obschon dem Ergebnis allgemein Vollkommenheit zugesprochen wurde. Seine Photographien waren klassische Studien eines Mädchen (ich selber) vor einem Brunnen (jenem in Darmstadt mit Siegfrieds Statue). Sie zeichneten sich durch eine vollkommene, gefilterte Belichtung und gerade Linien aus: sie waren statisch und interessierten mich kein bißchen. Die Person, die da steif den Kopf geneigt hielt oder gerade in die Linse starrte, war ich nicht. Das Photographieren war eine langwierige Prozedur, die den Fluß des Lebens aufzuhalten, die fröhlich über die Stufen des Siegfriedbrunnens hüpfenden Füße abzubremsen schien.

Der andere Photoapparat meines Lebens war der meiner Mutter; sie benutzte ihn, um durch ihr Mikroskop zu photographieren. Sie machte großartige Diapositive von Zellen und Geweben, die herrlich eingefärbt waren. Ich hatte diese Art der Photographie lieber, aber auch sie schien mir ein wenig abseitig, zu abstrakt und wissenschaftlich. Kurzum, ich interessierte mich nicht für die Photographie. Die einzigen Bilder, die mir gefielen, waren die lustigen Aufnahmen von meinem Vater als kleiner Junge. Vor allem war da eine, auf der er, in weiße Spitzen gekleidet, mit dem linken Schuh auf dem rechten Fuß, feierlich vor einer Topfpalme posierte. Es gab auch köstliche Hochzeitsbilder meiner Großmutter, die mit einem riesigen Schnörkel signiert waren. Aber ungeachtet der Unterschrift schienen diese Bilder nicht wirklich von einer bestimmten Person aufgenommen worden zu sein. Auch die Familienschnappschüsse, die wir zuweilen mit Hilfe von Cellophan-Ecken in zu Weihnachten geschenkten, ledergebundenen Alben einkleben mußten, besaßen kein eigenes Leben. Sie entsprachen nichts, was ich jemals empfunden oder gesehen hatte.

So zeigte ich mich zwar dankbar, als meine Mutter mir einmal zu Weihnachten ihre alte, von ihrem Mikroskop abgeschraubte Contax schenkte; ich nahm sie und schleppte sie mit mir herum — aber ich machte keine einzige Aufnahme. Damals war ich eine Journalistin, die oft mit Photographen auf Bildreportagen zog. Wir alle verloren Ausrüstungsgegenstände, aber ich war die einzige, die immer wieder meine Contax zurückerhielt. Als ich einmal mit Ernst Haas in Neapel arbeitete, vergaß ich sie in einem Taxi. Als ich ins Hotel zurückkehrte, war mir der Verlust noch nicht aufgefallen. Ich ging wieder aus, und als ich viele Stunden später wieder ins Hotel kam, hatte ein Taxifahrer meine Contax zurückgebracht! Und dabei behauptet man, in Neapel werde einem sogar der Hut vom Kopf gestohlen!

Als ich schließlich anfing, selber Aufnahmen zu machen, und die Leidenschaft des Photographierens sich meiner total bemächtigte, arbeitete ich zuerst mit dieser Contax. Irgend etwas stimmte nicht mit dem Filmtransport. Also öffnete ich den Apparat geduldig, sooft ich ein paar Aufnahmen gemacht hatte, unter einem Mantel oder in einem dunklen Verschlag, um den Film zur nächsten Nummer nachzuschieben. Dieser Lehrzeit verdanke ich es, daß ich bis auf den heutigen Tag mit Filmen eher haushälterisch umgehe. Daraus ersehen Sie, wie fremd mir jegliche Technik war: Ich dachte gar nicht an die Möglichkeit, den Apparat reparieren zu lassen. Mein Hunger nach Aufnahmen von allem, was ich jetzt plötzlich sah, war so groß, daß ich nicht von meinem Werkzeug getrennt sein wollte; ich konnte nicht mehr ohne es auskommen, und seine mannigfaltigen Tücken und Versager, die hauptsächlich durch meine schlechte Behandlung verursacht waren, wenn ich es herumstieß oder fallen ließ, lehrten mich viel über dieses kleine Kästchen, das ich dazu bringen wollte, eine Verlängerung meines Auges zu sein, ein Seismograph zur Aufzeichnung meiner Gefühlsbewegungen.

Nachdem ich beschlossen hatte, daß ich wirklich eine Photographin sein wollte, kaufte ich mir in der Bond Street in London eine Leica aus zweiter Hand mit einer 50-mm-Linse. Ein paar Monate später kaufte ich ein 90-mm-Objektiv dazu, um Landschaften aufzunehmen, und etwa ein Jahr später, als ich das Gefühl hatte, diese Formate mehr oder weniger befriedigend ausfüllen zu können, schaffte ich noch eine 35-mm-Linse an. Das war für lange Zeit meine Ausrüstung, mit der ich glücklich alle möglichen Aufträge für Zeitschriften ausführte. So hatte ich nur einen einzigen Apparat in der Hand. Wenn ich gelegentlich in Farbe und in Schwarzweiß photographieren mußte, machte ich zuerst einen Schwarzweißfilm fertig und legte dann den Farbfilm ein und war dabei bemüht, nicht gleichzeitig an beide Arten zu denken. Noch heute liebe ich es nicht, trotz geladener Zweitkamera in der Tasche, gleichzeitig beiderlei Photos zu machen: die Denkweise ist so völlig anders!

Je mehr ich arbeitete, desto mehr lernte ich die Form und das Gewicht des Apparats in meiner Hand wertschätzen. Ich lernte auch, im Gehen die Lichtstärke zu beurteilen und Verschlußzeiten und Blendenöffnungen einzustellen, etwa so wie manche Leute ihre Zigarette mit einer Hand rollen können. Es genügte mir, die Stellung des kleinen Knopfes unter dem Objektiv zu spüren, um ohne hinzuschauen zu wissen, ob ich 2, 4, 6 Meter oder auf unendlich eingestellt hatte. Ich photographierte viel auf der Straße. Wenn ich Innenaufnahmen machte, war ich immer bemüht, die Atmosphäre nicht zu stören. Wenn ich etwas bemerkte, das ich festzuhalten wünschte, machte ich die Aufnahme so schnell und so unauffällig wie möglich und versuchte, gewißermaßen unsichtbar zu sein.

Die Komposition, der innere Rhythmus des Bildes ist für mich von größter Wichtigkeit. Ich denke eigentlich immer daran, zum mindesten ist es mir bewußt, wenn ich in einem freien Augenblick Gemälde ansehe, in Museen oder auf Postkartenreproduktionen, die ich immer auf mir trage, um Wartezeiten auszufüllen. Wieviel kann man doch vom intensiven Betrachten von Seurats *La Grande Jatte* lernen!

Meine Arbeit mit Cartier-Bresson fügte zu dieser grundlegenden Einstellung die Disziplin und die Klarheit hinzu. Er machte mir ein unschätzbares Geschenk: einen Bildsucher, einen *Vidom,* der nicht mehr hergestellt wird, den ich aber noch heute hie und da nützlich finde. Es ist ein altmodischer Revolversucher für Objektive von 35 mm bis 125 mm. Man sieht die Bilder darin nicht nur kopfstehend, sondern sie kommen zudem aus entgegengesetzer Richtung auf einen zu. Es brauchte einiges, um sich an dieses Ding zu gewöhnen! Aber wenn die geometrischen Proportionen in diesem Sucher stimmen, hat man einige Aussicht, eine gute Aufnahme zu machen. Ich meine in diesem Zusammenhang Landschaften, Leute, die sich auf der Straße bewegen, und Marktszenen. Der Sucher zwang das Auge, sich rasch hin und her zu bewegen, um den ganzen Bildrahmen zu erfassen.

Ich wurde mit dem Gebrauch eines Photoapparates dank der Lektüre der kleinen Zettel vertraut, die den Filmpackungen beigelegt werden. Ich hatte so lange verschiedenen Photographen zugeschaut, daß ich es – mit meinen Schulkenntnissen der Optik und der Emulsionen – gar nicht schwer fand, herauszufinden, wann ich die Blende öffnen oder schließen mußte. Einmal kaufte ich ein paar Handbücher der Photographie, aber ihre Sprache war viel zu trocken, als daß sie mein Interesse hätten wecken können. Zu jener Zeit lernte ich erst richtig, Kontaktabzüge zu ‹lesen› – meine eigenen und die anderer Photographen. Diese Abzüge erlauben einem, die Leistung eines Photographen zu beurteilen: Sie enthüllen einem die Wahrheit über die eigene Arbeit und offenbaren deutlich die Fehler, die man während der Aufnahme gemacht haben kann, indem man irgendein wichtiges Detail übersah oder sich irgendeine Zerstreutheit zuschulden kommen ließ. Die Betrachtung eines Kontaktbogens kann einen Photographen unendlich viel mehr lehren als irgendein Handbuch. Aber meine beste Schulung verdanke ich dem Kameradschaftsgeist, der für die Nachkriegszeit kennzeichnend war, und der zu Beginn der fünfziger Jahre die Magnum-Gruppe beseelte.

Maler zu photographieren hat mir immer besonders Freude gemacht. Ich begebe mich gerne in ihre Ateliers, rieche das Terpentin, schaue mir die Paletten an, die Farbtuben und die Pinsel . . . Bei Malern findet sich eine Ruhe, die nur bei wenigen anderen Künstlern zu finden ist. Schließlich erstand ich mir eine 4 x 5 Linhof, die ich benutzte, um Bilder für Reproduktionen zu photographieren. Dabei lernte ich, wie man Farbauszüge macht, Filter benutzt und ein Stativ. Ich lernte einiges über die Beleuchtung. So kam ich dazu, zahlreiche Bilder in Privatsammlungen und in den Magazinen von Museen zu Gesicht zu bekommen, die ich sonst niemals gesehen hätte. Aber ich fühlte mich nie versucht, diesen großen Apparat für meine anderen Aufnahmen zu verwenden. Ich will leicht, schnell und unauffällig sein. Im Verlauf der Jahre schaffte ich mir bloß mehr Leicas an, ein paar Objektive längerer Brennweite und eine Leicaflex, die ich für Farbaufnahmen verwende. Diese Leicaflex half mir, gewisse Ideen zu verwirklichen, die ich bezüglich der Farbphotographie hatte, und die bis dahin undurchführbar gewesen waren.

Es war Gjon Mili — er hatte sich lange genug über meine mangelnden technischen Kenntnisse lustig gemacht —, der mich aus meinem Drang zu einem gewissen wienerischen ‹Laissez-faire› aufrüttelte und zu größerer Präzision erzog und zum Ausprobieren anderer technischer Ausrüstungen bewog, um photographische Resultate zu erzielen, die gewissen visuellen Vorstellungen entsprachen. Bedeutsamer jedoch als die Theorie war sein riesiges Studio in der Dreiundzwanzigsten Strasse in Manhattan, ein unordentlicher, anregender und irgendwie Anforderungen stellender Raum. Es war einmal ein chinesisches Restaurant gewesen, das nun ausgebrannt war, Farbe schälte sich immer noch von Decke und Wänden. Die riesigen Räume waren voll photographischen Zubehörs, Dekors für Milis Filme, Hüte früherer Liebschaften und Modelle; Dinge, die Leute vergessen oder wie Mementos zurückgelassen hatten – aber das alles war für die Arbeit bestimmt. Man konnte dort alles beobachten und viel davon lernen: die meisterhafte Art der stroboskopischen Lichtführung motorgetriebener Leicas, Milis magische Dunkelkammeroperationen, seine gelegentlich projizierten Filme; man konnte ihm Lampen tragen helfen, zuschauen wie er ein Theaterstück für seine Kamera umfunktioniert. Es wurde dort viel und leidenschaftlich über das Gedankengut verschiedener photographischer Schulen, oder die Verdienste von Verlegern, photographische Integrität und viel anderes diskutiert. Alexander Schneider kam und spielte seine Geige, weil Mili ein Freund war und ihn photographieren wollte. An den Wänden sah ich zum ersten Mal die Zeichnungen Saul Steinbergs, eines der intelligentesten und überragendsten Künstler, und meine Augen öffneten sich neuen Visionen und Erkenntnissen.

Ich photographiere jeden Tag. Auch wenn man mit einer Erkältung im Bett liegt, kann man in seinem Zimmer noch etwas Neues entdecken. Ich lerne von Arthurs Art, die Dinge vom Standpunkt des Schriftstellers zu sehen, oder mit den Augen meiner kleinen Tochter. Man hört nie zu sehen und zu denken auf. Alles liegt jetzt in meinen Fingern, Händen, Augen. Alles hängt innerlich zusammen. Ich habe nicht theoretisch gelernt, sondern handelnd, mich rührend, meinen eigenen Ideen folgend. Das war nicht immer einfach. Aber wenn ich meine Kamera ans Auge hebe, ist dies für mich ein Augenblick des Entzückens, ernsthaft, amüsiert oder gerührt. Ein Augenblick des Entdeckens und – das muß ich zugeben – der ästhetischen Befriedigung.»

Olga Carlisle

2

3

4

5

6

7

8

9

10

11

15

14

16

20

21

22

24

25

26

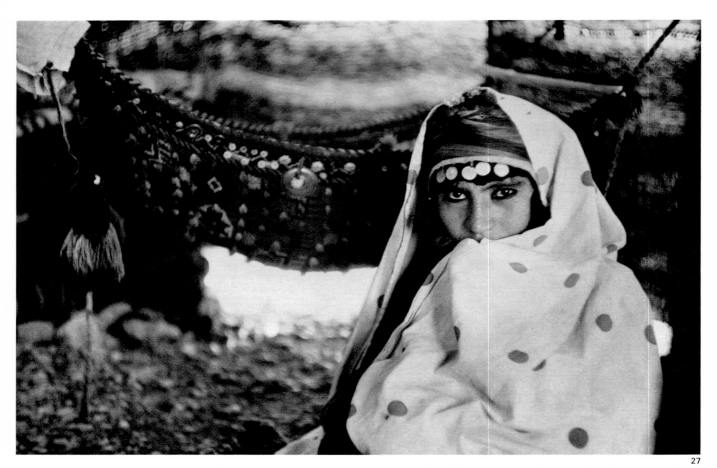

27

28

29

30

32

33

34

48

49

50

51

78

Bildlegenden

Österreich

1   Im Belvedere-Park, Wien. 1974

Frankreich

2   Herr und Frau Lafont, Wein- und Kohlenhandlung, Rue de la Chaise, Paris. 1956

3   Vor der Conciergeloge im Innenhof eines Privathauses, Quartier du Marais, Paris. 1957

4   Strassenecke, Ile Saint-Louis, Paris. 1956

5   Typische Metzgerei des alten Paris, Saint-Germain, Paris. 1957

6   Fassade eines vornehmen Privatsitzes aus dem 18. Jahrhundert am linken Seine-Ufer, Paris. 1957

7   Mansardenfenster am Dôme des Invalides, Paris. 1957

8   Tor zu einem vornehmen Stadthaus im Quartier du Marais, Paris. 1957

9   Brücke über den Kanal bei der Porte de la Villette, Paris. 1957

10   Eine Straße in der Nähe der Buttes de Chaumont, Paris. 1957

11   Rahmeisladen im Fin de siècle-Dekor, Saint-Germain-des-Prés, Paris. 1956

Spanien

12   Doña Mercedes Formica de Llosent y Marañon, Madrid. 1955

13   Das Schaufenster des Friseurs Ramos in Madrid. 1957

14   Prozessionsteilnehmer auf der Fahrt zur Romeria del Rocio, der Wallfahrt zur heiligen Jungfrau von Almonte, Andalusien. 1955

15   Romeria del Rocio. Das Volk begibt sich nach dem Festplatz. 1955

16   Ein Höhepunkt des Festtages: Tanz im Freien.

17   Mutter und Großmutter legen letzte Hand an die Frisur einer Brautjungfer, Navalcan, Kastilien. 1956

Kurzbiographien

Inge Morath

Inge Morath, in Österreich geboren, heute in Connecticut, USA, beheimatet, war ursprünglich Allround-Journalistin, arbeitete dann einige Zeit mit *Cartier-Bresson* und *Ernst Haas* zusammen, um darauf als freie Photographin zu *Magnum* zu stoßen. Seit 1953 erschienen ihre Bildberichte über Menschen und Geschehnisse in Europa, Afrika, dem Orient, den USA und der UdSSR in den führenden Zeitschriften wie *Life, Paris-Match, Holiday* und *Saturday Evening Post*. Sie ist seit 1962 mit Arthur Miller verheiratet, der den Text zu ihrem Buch *In Rußland* verfaßte. Es ist bezeichnend für Inge Morath, was sie als Essenz und Aufgabe ihres Berufes bereits erkannt hatte, als sie, von *Robert Capa* eingeladen, zu *Magnum* stieß: Überzeugungskraft der Bildkomposition, konstante Bereitschaft, Wahrhaftigkeit bezüglich des photographischen Objekts und rücksichtsloser Einsatz im entscheidenden Augenblick. Damit zollte sie nicht nur ihrem großen Vorbild Cartier-Bresson den verdienten Tribut, sie verrät auch, daß sie künstlerisch ihren eigenen, harten Weg zu gehen bereit war, der das von ihrem Temperament und persönlichen Gestaltungswillen geprägte Werk möglich machte, das hier in einer konzentrierten Auswahl vorliegt. Dieser Weg führte die in Wien geborene Inge Morath durch den Krieg und die Nöte der Nachkriegszeit, bis sie in England, nicht zuletzt in der «Schule» *Simon Gutmanns* (einem der Väter des modernen Photojournalismus und Mitgründer und Leiter der «Dephot») erkannte, daß die Bildberichterstattung ihr Metier war.

Es war angezeigt, die Etappen dieser nun zwanzigjährigen Reise rund um die halbe Welt im vorliegenden Buch nach Ländern bzw. nach Erlebniskreisen zu gliedern. Auf diese Weise nimmt der Leser teil an der Vielfalt der Eindrücke und Begegnungen, die in der Bildgruppe «Porträts» als abschließendes Kapitel Moraths Einfühlungsvermögen in den Mitmenschen in so subtiler Art offenbaren.

Olga Carlisle

Olga Carlisle Andreyev, 1930 in Paris in einer Familie mit literarischer Tradition geboren, verbrachte ihre Studienjahre in Frankreich und den USA. Als Malerin stellte sie erstmals in der Galerie Katia Granoff in Paris aus; als Schriftstellerin verfaßte sie zahlreiche Artikel und zwei Bücher über das Leben in der Sowjetunion: *Voices in the Snow* (1964) und *Poets on Streetcorners* (1968), die bei Random House in New York verlegt und in mehrere Sprachen übersetzt wurden. Sie beendet zur Zeit ein Buch über ihre Kindheit unter der deutschen Okkupation in Frankreich und arbeitet zusammen mit Inge Morath an zwei Büchern über Leben und Werk von Boris Pasternak und Anna Achmatowa. Sie ist mit dem amerikanischen Schriftsteller Henry Carlisle verheiratet und verbringt ihre Zeit teils in den USA, teils in Saint-Pantaléon in Frankreich.

Romeo E. Martinez

krönt als Herausgeber mit der *Bibliothek der Photographie* eine fast vierzigjährige Journalisten- und Bildredakteurslaufbahn.

Die Universität Paris verließ er als Licencié ès lettres und Licencié ès sciences politiques; an der Universität Brüssel erwarb er das Diplôme en sciences sociales.

Romeo E. Martinez war Ressortchef für Illustrationen bei der Zeitschrift *Vu* und der Illustrierten *Excelsior* in Paris; er gehörte dem Conseil en illustrations de la «Grande Encyclopédie française» an, war Berater der Zeitschriften *Bifur* und *Cahiers d'Art*, arbeitete für die Editions Carrefour in Paris und die Editions Sagittaire in Paris und Genf. Er gründete die Zeitschrift *Occident* und war Direktor des Journals *Monsieur* in Basel. Die zehn Jahre seiner Leitung als Chefredakteur verhalfen der Monatszeitschrift *Camera* in Luzern zu internationalem Ansehen. Man betraute ihn mit der Organisation der Biennale der Photographie in Venedig und gewann ihn wiederholt zur Mitarbeit bei Fernsehsendungen in Frankreich, Italien, Belgien, Holland und Schweden. R. Martinez ist Mitglied der Deutschen Gesellschaft für Photographie und der Commission artistique et historique de la Société française de photographie.

Bibliographie

Bücher

Fiesta in Pamplona (ursprünglicher französischer Titel: «Guerre à la Tristesse»), Text von Dominique Aubier; Robert Delpire, Paris, 1954; Universe Books, N. Y., 1956

Venice Observed, Text von Mary McCarthy; Bernier, Lausanne, 1956. Paris. Reynal & Co., N. Y.

From Persia to Iran, Text von Edouard Sablier; Delpire, Paris, 1967; Viking Press, N. Y., 1961

Tunisia, Text von Claude Roy, Paul Sebag; Photos von Inge Morath, Marc Riboud, André Martin; Delpire, Paris; Orion Press, N. Y., 1961

Bring Forth the Children (Eine Reise zu den vergessenen Kindern Europas und des Mittleren Ostens), Text von Yul Brynner; Photos von Inge Morath, Yul Brynner; McGraw-Hill Book Co., N. Y., 1960

Le Masque, Zeichnungen von Saul Steinberg. Photos von Inge Morath; Maeght Editeur, Paris, 1967

In Russia, Text von Arthur Miller; a Studio Book, The Viking Press, N. Y., 1969; deutschsprachige Ausgaben Verlag C. J. Bucher, Luzern/Frankfurt, 1969, 1974

East West Exercises. Text von Ruth Bluestone; Walker and Comp., N. Y., 1973

Kurz vor der Vollendung: ein Buch über Connecticut, USA; Viking Press, N. Y.

Ausstellungen

The Leitz Gallery, New York
The Chicago Art Institute
Wuehrle Galerie, Wien
photokina, Köln
World's Fair in Montreal

Permanente öffentliche Sammlungen

The Metropolitan Museum of Art
The Boston Museum of Art
Bibliothèque Nationale, Paris

Namen- und Sachregister

Umschlag vorn: Mrs. Eveleigh Nash, London,

Umschlag hinten: Ankunft der «tinkers», Pucks Fair, Killorglin, Irland